오늘을 살아요 눈이 부시게

발행	2024년 12월 18일
저자	홍은주
디자인	홍은주
편집	홍은주
펴낸이	송태민
펴낸곳	열린 인공지능
등록	2023.03.09(제2023-16호)
주소	서울특별시 영등포구 영등포로 112
전화	(0505)044-0088
이메일	book@uhbee.net
ISBN	979-11-94006-50-3

www.OpenAIBooks.com

오늘을 살아요 눈이 부시게

프롤로그: 당신의 오늘은 어떤가요? (P.13)

- 일상의 소중함을 깨닫는 순간
- 왜 '눈이 부시게' 살아야 하는가?

1장: 아침의 마법, 하루의 시작을 바꾸다 (P.21)

- 기분 좋은 아침을 만드는 5가지 습관
- 아침 독서의 마법: 책 속에서 깨어나는 하루
- 5분의 기적: 아침 명상과 스트레칭
- 맛있는 아침의 비밀: 에너지 충전 레시피
- 아침을 깨우는 플레이리스트: 음악과 함께 시작
하는 하루

[부록] 눈부신 나의 아침 계획서 (P.31)

2장: 일상 속 작은 기쁨 발견하기 (P.35)

- 평범한 날을 특별하게 만드는 방법
- 감사 일기의 힘: 매일 세 가지 감사할 거리 찾기
- 소소한 행복을 포착하는 사진 촬영 팁
- 일상의 향기: 집 안을 환기시키는 방법
- 나만의 '소확행' 리스트 만들기

[부록] 일상 속 소소한 행복 포착하기: 사진 촬영 가이드 (P.45)

3장: 관계의 온도를 높이는 법 (P.53)

- 진심 어린 칭찬의 기술
- 경청의 힘: 상대방의 마음을 여는 대화법
- 가족과의 특별한 시간 만들기
- 동료와 친구 관계 개선을 위한 작은 실천들

[부록] 효과적인 경청을 위한 10가지 팁 (P.61)

4장: 나만의 시간, 어떻게 보내면 좋을까? (P.69)

- 혼자 있는 시간의 중요성
- 취미 찾기: 나를 표현하는 새로운 방법
- 독서의 즐거움: 책 속에서 만나는 새로운 세상
- 명상과 요가로 마음의 평화 찾기
- 창의성을 키우는 일상 속 예술 활동

[부록] 창의성 향상을 위한 10가지 일상 속 예술 활동 아이디어 (P.83)

5장: 일과 삶의 균형 찾기 (P.89)

- 효율적인 시간 관리 비법
- 일에서 의미를 찾는 방법
- 삶의 균형 찾기: 퇴근 후와 주말을 특별하게 만드는 방법
- 번아웃 예방을 위한 자기 관리법

[부록] 주간 시간 관리 플래너 (P.117)

6장: 스트레스 관리, 마음의 평화 찾기 (P.131)

- 일상 속 스트레스 해소법
- 긍정적 사고방식 기르기
- 마음챙김의 기술: 현재에 집중하는 방법
- 숲 속 산책의 치유력: 자연과 교감하기
- 불안과 걱정을 다스리는 실용적인 팁

[부록] 스트레스 해소를 위한 5분 호흡 기법 설명서
(P.145)

7장: 꿈을 향한 작은 발걸음 (P.153)

- 나만의 드림보드 만들기
- 목표 설정의 기술: SMART 원칙
- 작은 성취의 힘: 소소한 목표 달성하기
- 실패를 두려워하지 않는 자세 기르기
- 꿈을 현실로 만드는 마인드맵 그리기

[부록1] SMART 목표 설정 워크시트 (P.167)
[부록2] 드림보드 만들기 단계별 가이드 (P.175)

8장: 하루를 마무리하는 특별한 방법 (P.183)

- 하루를 정리하는 저녁 루틴
- 내일을 위한 준비: 간단한 계획 세우기
- 긍정적인 자기 대화로 하루 마무리하기
- 고요한 밤: 숙면을 위한 이완 기법
- 감사함을 담은 하루의 마지막 생각

[부록] 긍정적 자기 대화를 위한 30일 챌린지 가이드 (P.195)

[특별 보너스 부록] (P.217)

마인드맵으로 찾는
"내가 좋아하는 것이 무엇일까?"

에필로그: 당신의 눈부신 내일을 위해 (P.227)

- 작은 변화가 만드는 큰 기적
- 눈부신 삶을 위한 마지막 메시지

홍은주(보라보라의 인생샷)은 내 안의 꿈과 강점을 찾아 나만의 브랜드를 만드는 것에 관심이 많은 블로거이자 코치이다. 개인의 가치를 발견하고 이를 효과적으로 알리는 '퍼스널 브랜딩'과 '나 브랜딩'을 연구하고 있다. 이를 통해 개인이 온라인 비즈니스에서 성공할 수 있게 돕는 일을 하고 있다.

코치로서 개인의 강점을 바탕으로 자신만의 삶을 설계하고 실행할 수 있도록 지원하고 있다. 나 스스로도 좋아하고 잘하는 일에 집중하면서 나만의 가치를 실현하기 위해 노력하고 있다.

이런 과정에서 얻은 경험과 통찰을 바탕으로 '보라보라의 인생샷'이라는 닉네임으로 네이버 블로그 '보라보라의 성장연구소'를 운영하면서 자기계발, 퍼스널 브랜딩, 온라인 비즈니스 등의 주제로 유익한 정보를 공유하고 있다.

프롤로그: 오늘, 당신의 하늘은 어떤가요?

때로는 삶이 우리에게 가장 큰 교훈을 주려 할 때, 가장 아픈 방식을 택하는 것 같습니다.

몇 달 전, 봄꽃이 한창 필 무렵이었습니다. 거리는 생동감 넘치는 꽃들의 향기로 가득했고, 하늘에는 솜사탕 같은 구름이 한가롭게 떠다니고 있었죠. 그날도 여느 때와 다름없는 평범한 하루일 거라고 생각했습니다.

하지만 그날, 제 인생의 가장 큰 폭풍이 몰아쳤습니다. 부모님 두 분을 한꺼번에, 그것도 너무나 갑작스럽게 잃었습니다. 죽음은 흡사 도둑처럼, 예기치 못한 시간에 찾아오기 일쑤입니다. 그 순간, 제 세상의 모든 색채가 사라진 것만 같았습니다. 화사했던 봄꽃도, 포근해 보이던 구름도 더 이상 눈에 들어오지 않았습니다.

숨을 쉬는 것조차 버거웠고, 내일이 오지 않기를 바랐습니다. 하늘을 올려다볼 용기조차 없었습니다. 그 눈부신 파란색이, 그 위에 떠 있는 평화로운 구름이 제 상실감을 더욱 크게 만들 것만 같았으니까요.

하지만 시간이 지나면서, 조금씩 고개를 들 수 있게 되었습니다. 그리고 어느 날, 문득 하늘을 올려다보았을 때, 깨달았습니다. 그 하늘이, 그 구름이, 그 모든 것이 얼마나 귀중한지를. 우리에게 주어진 '오늘'이 얼마나 소중한 선물인지를.

부모님의 갑작스러운 부재는 제게 큰 상처를 남겼지만, 동시에 삶의 유한함과 현재의 소중함을 일깨워주었습니다. 우리는 종종 과거에 연연하거나 미래를 걱정하며 지금 이 순간의 아름다움을 놓치곤 합니다. 하지만 정작 우리가 온전히 살아갈 수 있는 건 바로 이 순간, 오늘뿐입니다.

그래서 이 책을 쓰기로 했습니다. 제가 깨달은 이 소중한 진실을 여러분과 나누고 싶었습니다. 우리의 평범한 일상이 얼마나 특별하고 눈부신지, 그리고 어떻게 하면 그 눈부심을 매 순간 느끼며 살아갈 수 있는지 이야기하고 싶었습니다.

이 책은 거창한 성공 이야기가 아닙니다. 대신 우리의 하루하루를 조금 더 의미 있게, 조금 더 밝게 만드는 작은 방법들에 대한 이야기입니다. 아침에 눈을 뜨는 순간부터 밤에 잠자리에 들 때까지, 우리가 마주하는 모든 순간을 어떻게 하면 더 풍요롭고 아름답게 만들 수 있는지에 대한 제안들입니다.

여러분, 우리의 삶은 눈부시게 아름답습니다. 때로는 구름이 끼고, 때로는 폭풍이 몰아치겠지만, 그 모든 순간이 우리의 이야기를 만들어갑니다. 조금만 마음의 여유를 가지고 주위를 둘러보면, 우리를 둘러싼 모든 것이 얼마나 경이로운지 깨달을 수 있을 거예요.

이 책을 통해 여러분이 일상 속 작은 기쁨들을 발견하고, 소중한 사람들과의 관계를 더욱 돈독히 하며, 자신의 꿈을 향해 한 걸음씩 나아가는 용기를 얻으시길 바랍니다. 그리고 무엇보다, 매일 아침 눈을 뜰 때마다 "오늘도 살아 있다는 것이 얼마나 감사한 일인가"를 느끼시길 바랍니다.

자, 이제 함께 떠나볼까요? 우리의 일상을 눈부시게 만드는 여정을...

오늘, 당신의 하늘은 어떤가요? 그 하늘 아래에서 당신의 하루가 눈부시게 빛나길 바랍니다.

2024년 눈이 부시게 빛나는 오월의 어느 날 홍은주 드림.

　　　　오늘을 살아요 눈이 부시게

1장: 아침의 마법, 하루의 시작을 바꾸다

여러분은 아침에 눈을 뜨면 가장 먼저 어떤 생각을 하시나요?

"아, 또 월요일이야..."

"오늘도 바쁜 하루가 되겠네."

"5분만 더 잘까?"

많은 분들이 이런 생각으로 하루를 시작하실 겁니다. 저도 그랬으니까요. 하지만 지금은 다릅니다. 아침에 눈을 뜨면 가장 먼저 이런 생각을 합니다.

"오늘도 살아있다니, 정말 감사한 일이야."

이 작은 변화가 제 하루 전체를 바꿔놓았습니다. 어떻게 이런 변화가 일어났는지, 그리고 여러분도 어떻게 이런 변화를 경험할 수 있는지 함께 이야기 나눠볼까요?

⏰ 기분 좋은 아침을 만드는 5가지 습관

1. 일찍 일어나기:

　잠에서 깨어나 창밖으로 스머드는 아침 햇살을 바라보세요. 세상이 조금씩 밝아지는 모습을 보면, 우리의 마음도 함께 밝아집니다.

2. 물 한 잔 마시기:

　잠에서 깨자마자 물 한 잔을 천천히 마셔보세요. 밤새 목마름을 달래주는 시원한 물 한 잔은 그 자체로 작은 축복입니다.

3. 창문 열기:

　창문을 열고 깊게 심호흡을 해보세요. 새로운 하루의 공기를 폐 깊숙이 들이마시며, 오늘 하루도 잘 살아갈 수 있을 거란 믿음을 가져봅니다.

4. 감사 일기 쓰기:

    잠깐 시간을 내어 감사한 것들을 적어보세요. 아주 작은 것이라도 좋습니다. 숨 쉴 수 있음에 대해, 따뜻한 이불에 대해, 새로운 하루에 대해 감사해보세요.

5. 가벼운 운동하기:

    간단한 스트레칭이나 요가, 혹은 짧은 산책으로 몸을 깨워보세요. 몸을 움직이면 기분도 함께 좋아집니다.

📖 아침 독서의 마법: 책 속에서 깨어나는 하루

아침 독서는 하루를 풍요롭게 만드는 마법 같은 습관입니다. 커피 한 잔과 함께 좋아하는 책을 펼쳐보세요. 아침의 고요 속에서 책 속 세계로 빠져드는 경험은 그 자체로 특별한 선물이 될 거예요.

시작이 어렵다고요? 이렇게 해보세요:

- 하루에 단 10페이지만 읽기

- 좋아하는 문장에 밑줄 긋기

- 읽은 내용을 SNS에 한 문장으로 공유하기

아침에 읽은 책의 내용이 하루 종일 여러분의 생각을 자극하고, 새로운 아이디어의 씨앗이 될 거예요.

🐣 5분의 기적: 아침 명상과 스트레칭

바쁜 아침이라도 5분만 투자해보세요. 3분의 간단한 명상과 2분의 스트레칭만으로도 하루가 달라집니다.

명상은 어렵지 않아요. 편안한 자세로 앉아 깊게 호흡하며 지금 이 순간에 집중해보세요. 생각이 떠오르면 판단하지 말고 그저 지켜보세요.

스트레칭은 이렇게 해보세요:

1. 팔을 위로 쭉 뻗어 기지개펴기

2. 천천히 몸을 좌우로 틀어주기

3. 발끝을 가볍게 터치하며 등 펴기

이 작은 습관이 하루 전체의 활력과 평화를 가져다 줄 거예요.

🔍 맛있는 아침의 비밀: 에너지 충전 레시피

바쁜 아침이라도 건강한 한 끼는 꼭 필요해요. 간단하면서도 영양 가득한 아침 식사 레시피를 소개합니다.

1. 5분 오트밀 한 그릇

   - 오트밀 + 우유 + 꿀 + 좋아하는 과일 토핑

2. 초간단 그린 스무디

   - 시금치 한 줌 + 바나나 1개 + 우유 또는 두유

3. 고소한 아보카도 토스트

   - 통밀빵 + 아보카도 + 삶은 달걀 + 후추

이런 간단한 아침 식사로 하루를 건강하게 시작해 보세요. 몸도 마음도 더 가벼워질 거예요.

🎧 아침을 깨우는 플레이리스트: 음악과 함께 시작하는 하루

아침의 기분을 좌우하는 또 하나의 비밀 무기, 바로 음악입니다. 여러분만의 '모닝 플레이리스트'를 만들어보세요.

추천 노래 리스트:

1. "Here Comes the Sun" - The Beatles

2. "Walking on Sunshine" - Katrina and The Waves

3. "I Gotta Feeling" - The Black Eyed Peas

4. "Viva La Vida" - Coldplay

5. "Don't Stop Me Now" - Queen

이 노래들과 함께 춤을 추며 하루를 시작해보세요. 기분 좋은 에너지가 온종일 지속될 거예요.

아침은 새로운 시작의 선물입니다. 이 선물을 어떻게 열어볼지는 여러분의 몫이에요. 오늘부터, 아침의 마법을 경험해보세요.

내일 아침, 눈부신 하루의 시작을 기대하며 잠자리에 들어보는 건 어떨까요?

분명 조금 다른, 더 빛나는 하루가 여러분을 기다리고 있을 겁니다.

오늘을 살아요 눈이 부시게

[부록] 눈부신 나의 아침 계획서

자, 이제 여러분 차례입니다. 내일 아침, 어떻게 시작하고 싶으신가요? 지금 바로 계획을 세워보세요

⏰ 내일 나의 아침 계획: _____

📔 읽고 싶은 책: _____

📖 나만의 아침 독서 방식: _____

🔍 먹고 싶은 아침 메뉴: _____

🎧 듣고 싶은 모닝 송: _____

기억하세요. 완벽할 필요는 없습니다. 그저 시작하는 것, 그것만으로도 충분합니다. 작은 변화들이 모여 큰 차이를 만들어낼 거예요.

눈부신 하루가 여러분을 기다리고 있습니다. 아침부터 빛나는 당신의 모습을 상상해보세요. 멋지지 않나요? 자, 이제 시작해볼까요?

오늘을 살아요 눈이 부시게

2장: 일상 속 작은 기쁨 발견하기

여러분, 언제 마지막으로 무언가에 '감탄'하셨나요?

아침 햇살에 반짝이는 이슬방울을 보고, 갓 구운 빵 냄새에 미소 지어본 적은 언제인가요? 혹시 오랜만에 들은 좋아하는 노래에 흥얼거리며 발길을 멈춰본 적은 있으신가요?

우리는 종종 큰 행복, 거창한 성취만을 기다리며 살아갑니다. 하지만 인생의 진정한 행복은 이런 작은 순간들 속에 숨어있다는 걸 깨달았습니다.

평범한 날을 특별하게 만드는 방법

1. 오감을 깨우세요:

매일 아침, 창문을 열고 새소리에 귀 기울여보세요. 커피 향에 집중해보고, 옷의 질감을 느껴보세요. 평소에 무심코 지나쳤던 것들이 새롭게 다가올 거예요.

2. 일상에 '의식'을 더하세요:

아침 식사를 할 때 "오늘 하루도 감사합니다"라고 말해보세요. 출근길에 만나는 이웃에게 미소 지어보세요. 이런 작은 의식들이 하루를 특별하게 만듭니다.

3. 새로운 것을 시도해보세요:

늘 가던 길 대신 새로운 길로 산책해보세요. 평소에 먹지 않던 음식을 주문해보세요. 작은 변화가 일상에 신선함을 더해줄 거예요.

📝 감사 일기의 힘: 매일 세 가지 감사할 거리 찾기

감사 일기를 쓰기 시작한 지 얼마 되지 않았을 때의 일입니다. 그날은 유독 힘든 하루였어요. 모든 것이 잘못되는 것만 같았죠. 하지만 잠자리에 들기 전, 습관처럼 감사 일기를 쓰려고 펜을 들었습니다.

"오늘 감사할 일이 뭐가 있었지?" 한참을 고민했어요. 그러다 문득 떠올랐습니다.

1. 아침에 버스를 놓쳤지만, 걸어가는 동안 예쁜 꽃을 발견했다.

2. 점심 식사가 맛없었지만, 동료와 즐거운 대화를 나눌 수 있었다.

3. 야근을 했지만, 집에 돌아와 반겨주는 가족이 있다.

이렇게 적고 나니, 하루가 달리 보이더라고요. 불행해 보이던 순간들 속에서도 작은 행복들이 숨어있었던 거예요.

여러분도 오늘부터 해보세요. 자기 전에 그날 감사했던 일 세 가지를 적어보세요. 아주 작은 것이라도 좋습니다. 이 습관이 여러분의 시선을 조금씩 바꿔줄 거예요.

📷 소소한 행복을 포착하는 사진 촬영 팁

스마트폰 카메라로 일상의 아름다운 순간들을 담아보세요.

- 아침 햇살에 빛나는 창가의 화분

- 길가에 핀 들꽃 한 송이

- 맛있게 차린 식사

- 반려동물의 귀여운 모습

- 좋아하는 사람의 미소

이렇게 찍은 사진들을 모아보세요. 한 달 뒤에 그 사진들을 보면, 여러분의 일상이 얼마나 아름답고 특별했는지 깨닫게 될 거예요.

🍀일상의 향기: 집 안을 환기시키는 방법

향기는 우리의 기분을 순식간에 바꿀 수 있어요.

- 아침에 창문을 열고 신선한 공기를 들이세요.

- 레몬이나 오렌지 껍질을 끓이면 상쾌한 향이 집 안에 퍼집니다.

- 라벤더 오일 몇 방울을 방 안에 떨어뜨리면 편안한 분위기가 만들어져요.

- 계피스틱을 물에 넣고 끓이면 따뜻하고 포근한 향이 납니다.

이런 작은 시도들이 여러분의 공간을 더욱 특별하게 만들어줄 거예요.

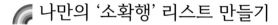 나만의 '소확행' 리스트 만들기

자, 이제 여러분만의 '소확행' 리스트를 만들어볼 차례입니다. 소소하지만 확실한 행복, 줄여서 '소확행'이죠.

1. _____

2. _____

3. _____

4. _____

5. _____

이 리스트를 자주 들여다보고, 하나씩 실천해보세요. 그리고 새로운 항목을 계속 추가해나가세요.

우리의 삶은 이런 작은 행복들로 가득 차 있습니다. 다만 우리가 미처 발견하지 못했을 뿐이죠. 오늘부터 주변을 유심히 살펴보세요. 당신의 일상에 숨어 있는 작은 기쁨들을 발견하게 될 거예요.

그리고 기억하세요. 행복은 거창한 게 아닙니다. 당신이 지금 이 순간 숨 쉬고 있다는 것, 그것만으로도 충분히 행복한 일이에요. 오늘 하루, 눈부시게 살아가세요.

오늘을 살아요 눈이 부시게

[부록] 일상 속 소소한 행복 포착하기: 사진 촬영 가이드

1. 매일의 순간에 주목하기

   - 아침 창가로 들어오는 햇살

   - 커피 잔의 김이 피어오르는 모습

   - 산책길에 만난 강아지나 고양이

2. 감사한 것들 찾아보기

   - 가족이나 친구와 함께하는 식사 장면

   - 받은 선물이나 카드

   - 집 안의 아늑한 공간

3. 계절의 변화 포착하기

   - 봄의 첫 새싹

   - 여름의 시원한 아이스크림

   - 가을의 단풍 든 나뭇잎

   - 겨울의 첫 눈

4. 일상 속 색다른 순간 찾기

   - 평소와 다른 하늘의 모습 (예: 노을, 무지개)

   - 길가의 예쁜 꽃이나 식물

   - 우연히 발견한 재미있는 간판이나 그래피티

5. 촬영 팁

- 자연광을 최대한 활용하기

- 다양한 각도에서 시도해보기 (위, 아래, 옆 등)

- 가까이 다가가 디테일 포착하기

- 대비되는 요소들 찾아 구도 잡기

6. 감정에 집중하기

- 행복한 순간의 표정 포착하기

- 평화로운 분위기 담기

- 설레는 순간의 떨림 표현하기

7. 일상 물건의 새로운 면 발견하기

  - 책상 위 소품들의 배치

  - 옷장 속 옷들의 색상 조화

  - 주방 도구들의 질감

8. 시간의 흐름 담기

  - 하루 동안 같은 장소의 변화 기록하기

  - 식물의 성장 과정 기록하기

  - 요리 과정 단계별로 촬영하기

9. 편집은 최소화하기

   - 필터 사용을 자제하고 자연스러운 모습 그대로 담기

   - 간단한 밝기, 대비 조정만으로 충분

10. 정기적으로 돌아보기

   - 주간 또는 월간으로 찍은 사진들 모아보기

   - 가장 마음에 드는 사진 프린트해서 벽에 걸어두기

   - 사진들로 작은 포토북 만들어보기

remember:

완벽한 사진을 찍는 것이 목적이 아닙니다. 당신의 일상에서 행복과 감사함을 발견하고 기록하는 것이 중요합니다. 이 과정 자체가 당신의 삶을 더욱 풍요롭게 만들어줄 것입니다.

3장: 관계의 온도를 높이는 법

우리 인생에서 가장 빛나는 순간들을 떠올려보세요. 아마도 그 순간들 대부분은 누군가와 함께였을 겁니다. 가족, 친구, 연인, 때로는 낯선 이와의 짧은 만남까지도. 우리는 관계 속에서 살아가고, 그 관계들이 우리 삶을 풍요롭게 만듭니다.

하지만 때로는 이 소중한 관계들이 당연하게 여겨지기도 합니다. 오늘, 우리 함께 그 관계들의 온도를 조금 더 높여볼까요?

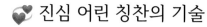 진심 어린 칭찬의 기술

얼마 전, 저는 오랜만에 만난 친구에게 이런 말을 들었습니다.

"넌 정말 좋은 경청자야. 네가 들어줄 때면 내가 중요한 사람이 된 것 같아."

순간 가슴이 따뜻해지는 걸 느꼈습니다. 그 말 한마디가 저의 하루를, 아니 한 달을 빛나게 만들었죠.

진심 어린 칭찬은 마법과도 같습니다. 여러분도 오늘 누군가에게 구체적이고 진정성 있는 칭찬을 해보세요.

- "네가 그 일을 해냈다는 게 정말 자랑스러워."

- "네 미소는 정말 사람을 기분 좋게 만들어."

- "네 도움이 있어서 이 일을 잘 마무리할 수 있었어. 고마워."

이런 말들이 누군가의 하루를, 어쩌면 인생을 바꿀 수도 있답니다.

👂 경청의 힘: 상대방의 마음을 여는 대화법

진정한 대화는 말하기가 아닌 듣기에서 시작됩니다. 상대방의 이야기를 온전히 듣는 것, 그것이 바로 경청입니다.

경청의 핵심은 판단하지 않고 이해하려 노력하는 것입니다. 상대방의 말에 끼어들거나 조언하려 들지 말고, 그저 들어주세요. 때로는 침묵도 좋습니다. 그 침묵 속에서 상대방은 자신의 생각을 정리하고 더 깊은 이야기를 할 수 있게 됩니다.

"그랬구나. 더 자세히 말해줄 수 있어?"

"그 때 기분이 어땠어?"

"네가 그렇게 느꼈다니 이해가 가."

이런 반응들이 상대방의 마음을 더욱 열게 만들 거예요.

🖤 가족과의 특별한 시간 만들기

바쁜 일상 속에서 가족과의 시간을 갖기란 쉽지 않습니다. 하지만 작은 노력으로 특별한 순간을 만들 수 있어요.

- 매주 일요일 아침, 가족 모두가 함께 브런치를 먹는 시간을 가져보세요.

- 저녁 식사 후 15분 동안 전자기기를 끄고 오늘 하루에 대해 이야기를 나눠보세요.

- 한 달에 한 번, '가족 영화의 밤'을 정해 다 같이 영화를 보며 시간을 보내보세요.

이런 작은 습관들이 여러분 가족만의 소중한 추억이 될 거예요.

☕ 동료와 친구 관계 개선을 위한 작은 실천들

- 커피 한 잔의 마법: 동료에게 커피 한 잔을 건네며 잠깐의 대화를 나눠보세요.

- 생일 기억하기: 친구들의 생일을 캘린더에 표시해두고, 간단한 메시지라도 보내보세요.

- 감사 표현하기: 누군가의 도움을 받았다면, 꼭 감사 인사를 전하세요.

- 약속 지키기: 시간 약속을 꼭 지키고, 불가피하게 늦을 경우 미리 연락하세요.

🌡️ 오늘의 실천: 관계 온도 높이기

자, 이제 여러분 차례입니다. 오늘 하루, 누군가와의 관계 온도를 높이기 위해 할 수 있는 일을 적어보세요.

1. _____

2. _____

3. _____

기억하세요. 우리는 혼자 살아갈 수 없습니다. 함께 울고 웃으며 살아가는 것, 그것이 바로 인생의 아름다움입니다. 오늘 하루, 주변 사람들과의 관계에 따뜻한 온기를 불어넣어 보세요. 그 온기가 모여 여러분의 삶을 더욱 눈부시게 만들 거예요.

[부록] 효과적인 경청을 위한 10가지 팁

효과적인 경청은 좋은 관계를 만들고 유지하는 데 필수적입니다. 이 10가지 팁을 통해 여러분의 경청 능력을 향상시켜 보세요.

1. 온전히 집중하기

☐ 대화 중 휴대폰이나 다른 방해 요소 치우기

☐ 상대방의 눈을 마주치며 경청하기

☐ 적절한 몸짓과 표정으로 관심 표현하기

실천 체크: ☐☐☐☐☐☐☐ (월 화 수 목 금 토 일)

2. 판단 유보하기

☐ 상대방의 말을 끝까지 듣고 결론 내리기

☐ 선입견이나 편견 없이 열린 마음으로 듣기

☐ "그렇군요"라고 말하며 이해하려 노력하기

실천 체크: ☐☐☐☐☐☐☐ (월 화 수 목 금 토 일)

3. 말 끊지 않기

☐ 상대방의 말이 끝날 때까지 기다리기

☐ 끼어들고 싶은 충동 참기

☐ 침묵을 편안하게 받아들이기

실천 체크: ☐☐☐☐☐☐☐ (월 화 수 목 금 토 일)

4. 적극적으로 반응하기

☐ 고개 끄덕임, "음", "네" 등의 반응어 사용하기

☐ 상대방의 감정에 공감하는 표정 짓기

☐ 적절한 시기에 짧은 질문으로 관심 표현하기

실천 체크: ☐☐☐☐☐☐☐ (월 화 수 목 금 토 일)

5. 명확히 이해하기 위해 질문하기

☐ "제가 이해한 것이 맞나요?" 확인하기

☐ 모호한 부분에 대해 구체적으로 질문하기

☐ 열린 질문을 통해 더 많은 정보 얻기

실천 체크: ☐☐☐☐☐☐☐ (월 화 수 목 금 토 일)

6. 감정에 주의 기울이기

☐ 상대방의 말 뿐 아니라 감정도 이해하려 노력하기

☐ 목소리 톤, 표정, 몸짓 등 비언어적 신호 관찰하기

☐ "많이 힘드셨겠어요"와 같이 감정 인정해주기

실천 체크: ☐☐☐☐☐☐☐ (월 화 수 목 금 토 일)

7. 공감하며 듣기

☐ 상대방의 입장에서 생각해보기

☐ "그런 상황이었다면 저라도 그랬을 것 같아요" 표현하기

☐ 비판이나 조언 대신 이해와 지지 보여주기

실천 체크: ☐☐☐☐☐☐☐ (월 화 수 목 금 토 일)

8. 요약하며 확인하기

☐ 대화 중간중간 핵심 내용 요약하기

☐ "제가 이해한 바로는..." 식으로 정리해주기

☐ 상대방에게 요약이 정확한지 확인받기

실천 체크: ☐☐☐☐☐☐☐ (월 화 수 목 금 토 일)

9. 인내심 갖기

☐ 상대방의 말하는 속도와 스타일 존중하기

☐ 성급하게 결론 내리지 않기

☐ 긴 이야기도 끝까지 경청하기

실천 체크: ☐☐☐☐☐☐☐ (월 화 수 목 금 토 일)

10. 자신의 경청 습관 돌아보기

☐ 대화 후 자신의 경청 태도 성찰하기

☐ 개선이 필요한 부분 파악하고 노력하기

☐ 정기적으로 이 체크리스트로 자가 평가하기

실천 체크: ☐☐☐☐☐☐☐ (월 화 수 목 금 토 일)

월간 리뷰:

가장 잘 실천한 팁: _____

가장 어려웠던 팁: _____

다음 달 중점 개선할 부분: _____

Remember:

- 경청은 연습이 필요한 기술입니다. 꾸준히 노력하세요.

- 완벽할 필요는 없습니다. 조금씩 개선해 나가는 것이 중요합니다.

- 진심으로 이해하려는 마음가짐이 가장 중요합니다.

- 경청을 통해 관계가 개선되는 것을 느껴보세요.

- 여러분도 누군가에게 경청 받고 있다는 것을 기억하세요.

오늘을 살아요 눈이 부시게

4장: 나만의 시간, 어떻게 보내면 좋을까?

여러분, 언제 마지막으로 온전히 '나'만을 위한 시간을 가져보셨나요?

바쁜 일상 속에서 우리는 종종 자신을 돌보는 것을 잊곤 합니다. 하지만 자신과의 관계야말로 가장 중요한 관계 중 하나입니다. 나를 사랑하고 이해할 때, 비로소 다른 이들과의 관계도 더욱 풍요로워질 수 있습니다.

🎠 혼자 있는 시간의 중요성

얼마 전, 가족들이 모두 외출하여 하루 종일 집에 혼자 있게 되었습니다. 평소에는 항상 누군가와 함께 있다 보니, 처음에는 이 갑작스러운 고요함이 어색하게 느껴졌어요.

TV를 켜거나 소셜 미디어를 확인하며 이 '빈 공간'을 채우고 싶은 충동이 들었습니다. 하지만 문득 이런 생각이 들었어요. "이 시간을 온전히 나를 위해 써보면 어떨까?"

처음엔 불안했지만, 점차 혼자만의 시간이 주는 평화로움을 느끼기 시작했습니다. 내면의 소리에 귀 기울이고, 진정으로 내가 원하는 것이 무엇인지 생각해볼 수 있었죠. 오랜만에 좋아하는 음악을 크게 틀어놓고 집 안을 정리하며, 제 안의 생각들도 함께 정리할 수 있었습니다.

혼자 있는 시간은 자신을 되돌아보고, 재충전할 수 있는 소중한 기회입니다. 가끔은 의도적으로 '나만의 시간'을 만들어보세요. 그 시간 동안 휴대폰을 끄고, 오롯이 자신에게 집중해보는 건 어떨까요?

📷 취미 찾기: 나를 표현하는 새로운 방법

취미는 단순한 시간 때우기가 아닙니다. 그것은 자신을 표현하고, 새로운 가능성을 발견하는 창구입니다.

제 경우, 우연히 시작한 취미 미술이 큰 즐거움이 되었습니다. 처음에는 서툴렀지만, 조금씩 그림 실력이 늘어가는 것을 보며 성취감을 느꼈어요. 물감으로 캔버스를 채워가듯, 제 삶도 조금씩 다채로워지는 것 같았습니다.

또 다른 제 취미인 피아노 연주는 스트레스 해소에 큰 도움이 됩니다. 건반 위를 달리는 손가락을 보며, 복잡했던 마음이 정리되는 걸 느낍니다. 음악은 말로 표현하기 어려운 감정들을 표현할 수 있게 해주죠.

하지만 제가 가장 사랑하는 취미는 바로 사진 찍기입니다. 스마트폰 카메라로 일상의 소소한 순간들을 포착하고 기록하는 것, 그것은 마치 시간을 붙

잡아두는 마법 같아요. 아침 창가에 비치는 따스한 햇살, 커피 잔에 피어오르는 하얀 김, 산책길에 마주친 작은 꽃 한 송이... 이런 순간들을 카메라에 담으면, 평범했던 일상이 특별한 추억으로 변합니다.

사진을 찍으며 저는 세상을 새로운 눈으로 바라보게 되었어요. 아무 생각 없이 지나쳤던 것들의 아름다움을 발견하게 되었고, 그런 순간들에 더 감사하게 되었죠. 제 갤러리는 이제 작은 행복들로 가득 차 있습니다. 힘들 때면 이 사진들을 들춰보며 그때의 감정을 다시 느끼곤 해요. 이렇게 사진은 저의 일기이자, 위로가 되어주었습니다.

🎨 새로운 취미를 찾는 방법:

1. 어릴 적 좋아했던 것들을 떠올려보세요.

2. 항상 해보고 싶었지만 미뤄둔 것이 있나요?

3. 다양한 원데이 클래스를 체험해보세요.

4. 친구들의 취미를 함께 체험해보는 것도 좋습니다.

📚 독서의 즐거움: 책 속에서 만나는 새로운 세상

책은 시공간을 초월해 다양한 경험과 지식을 얻을 수 있는 마법 같은 도구입니다.

독서를 즐기는 팁:

- 다양한 장르의 책을 읽어보세요. 평소 관심 없던 분야의 책에서 뜻밖의 즐거움을 발견할 수 있습니다.

- 독서 노트를 작성해보세요. 인상 깊은 구절이나 생각을 기록하면, 나중에 돌아봤을 때 그때의 감정과 깨달음을 다시 느낄 수 있습니다.

- 독서 모임에 참여해보세요. 다른 사람들과 의견을 나누며 새로운 시각을 얻을 수 있습니다.

책은 우리에게 위로와 용기를 주고, 때로는 삶의 방향을 제시해주기도 합니다. 오늘부터 조금씩 책 읽는 시간을 가져보는 건 어떨까요?

🧘 명상과 요가로 마음의 평화 찾기

바쁜 일상 속에서 잠시 멈추어 내면에 귀 기울이는 시간은 매우 중요합니다. 명상과 요가는 그 좋은 방법입니다.

간단한 명상 방법:

1. 편안한 자세로 앉습니다.

2. 눈을 감고 호흡에 집중합니다.

3. 생각이 떠오르면 판단하지 않고 그저 관찰합니다.

4. 5분부터 시작해 점차 시간을 늘려갑니다.

요가는 몸과 마음의 균형을 잡아주는 좋은 운동입니다. 초보자용 영상을 따라 해보는 것부터 시작해보세요.

명상과 요가를 통해 우리는 현재에 더 집중할 수 있게 되고, 스트레스도 줄일 수 있습니다. 하루에 단 10분만 투자해도 큰 변화를 느낄 수 있을 거예요.

🎨 창의성을 키우는 일상 속 예술 활동

예술은 전문가들만의 영역이 아닙니다. 우리 모두에게는 창의성이 있고, 이를 표현할 권리가 있죠.

일상 속 예술 활동:

- 스케치하기: 간단한 드로잉으로 하루를 기록해보세요.

- 악기 연주: 좋아하는 노래를 연주해보거나, 즉흥 연주를 해보세요.

- 글쓰기: 일기나 짧은 시를 써보는 것도 좋습니다.

- 사진 찍기: 스마트폰으로 일상의 소소한 순간들을 포착해보세요.

- 손으로 무언가 만들기: 뜨개질, 종이접기, 클레이 공예 등 손을 움직이는 활동은 마음을 편안하게 해줍니다.

이런 활동들을 통해 우리는 일상에서 아름다움을 발견하고, 그것을 표현하는 법을 배우게 됩니다. 이는 단순한 취미를 넘어 삶을 바라보는 새로운 시각을 제공해줄 것입니다.

🪂 나만의 특별한 시간 만들기

이제 여러분만의 특별한 시간을 계획해볼까요? 다음 주 언제 어떤 활동으로 '나만의 시간'을 가질지 적어보세요.

날짜와 시간: _____

계획한 활동: _____

기대하는 점: _____

이 시간을 가진 후, 어떤 감정과 생각이 들었는지도 기록해보세요.

혼자 보내는 시간이 처음에는 어색하고 불편할 수 있습니다. 하지만 점차 그 시간이 주는 평화와 기쁨을 느끼게 될 거예요. 자신과 친밀해지는 이 시간들이 모여 여러분의 삶을 더욱 풍요롭고 눈부시게 만들 것입니다.

기억하세요. 여러분은 소중한 존재입니다. 그리고 그 소중한 자신과 시간을 보내는 것은 결코 낭비가 아닙니다. 오늘부터 '나'를 위한 시간을 만들어보세요. 그 시간이 여러분의 하루를, 나아가 인생을 빛나게 할 거예요.

　　　　오늘을 살아요 눈이 부시게

[부록] 창의성 향상을 위한 10가지 일상 속 예술 활동 아이디어

1. 5분 스케치 챌린지

매일 5분 동안 주변의 물건, 풍경, 또는 사람을 빠르게 스케치해보세요. 완벽함을 추구하지 말고 순간을 포착하는 데 집중하세요.

2. 색채 일기 쓰기

그날의 기분이나 경험을 색으로 표현해보세요. 수채화, 색연필, 또는 디지털 도구를 사용해 추상적인 색채 작품을 만들어보세요.

3. 창의적 사진 찍기

매일 같은 물건이나 장소를 다른 각도, 조명, 또는 구도로 사진 찍어보세요. 평범한 것들의 특별한 면을 발견해보세요.

4. 시 한 줄 쓰기

매일 한 줄의 시를 써보세요. 날씨, 감정, 또는 우연히 들은 대화에서 영감을 받아보세요. 한 달 후 이 줄들을 모아 하나의 시로 만들어보세요.

5. 손글씨 연습

좋아하는 인용구나 시를 다양한 글씨체로 써보세요. 캘리그라피나 레터링을 시도해보며 글자를 예술로 만들어보세요.

6. 일상 소리 작곡하기

주변의 소리(커피 내리는 소리, 키보드 타이핑 소리 등)를 녹음하고 이를 조합해 짧은 음악을 만들어보세요. 스마트폰 앱을 활용하면 쉽게 할 수 있어요.

7. 미니어처 점토 작품 만들기

손톱 크기의 작은 물건들을 점토로 만들어보세요. 음식, 동물, 또는 일상 용품을 미니어처로 재현해보세요.

8. 컬러링 명상

성인용 컬러링북이나 만다라 도안을 활용해 색칠하기 시간을 가져보세요. 색을 고르고 칠하는 과정에서 마음의 평화를 찾아보세요.

9. 창의적 재활용 아트

버려질 물건들(병뚜껑, 신문지, 헌 옷 등)을 이용해 작은 예술 작품을 만들어보세요. 환경 보호에도 기여하며 창의성을 발휘해보세요.

10. 즉흥 댄스 타임

좋아하는 음악을 틀어놓고 5분 동안 자유롭게 몸을 움직여보세요. 안무나 기술에 얽매이지 말고 음악에 몸을 맡겨보세요.

실천 팁:

- 매일 다른 활동을 시도해보거나, 한 가지 활동을 꾸준히 해보세요.

- 결과물의 완성도보다는 과정을 즐기는 데 초점을 맞추세요.

- 가족이나 친구들과 함께 해보면 더 즐거울 수 있어요.

- 만든 작품이나 활동 과정을 기록하고 공유해보세요.

- 한 달에 한 번 정도는 새로운 예술 활동을 시도해보세요.

Remember:

창의성은 연습을 통해 발전합니다.

매일 조금씩 예술적 활동을 하다 보면, 일상 속에서 더 많은 아름다움과 영감을 발견하게 될 거예요!

오늘을 살아요 눈이 부시게

5장: 일과 삶의 균형 찾기

여러분, 문득 시계를 바라보다 깜짝 놀란 적 있나요? '어, 벌써 이 시간이야?' 하고 말이죠. 요즘 들어 저는 그런 순간이 점점 더 많아지는 것 같아요. 시간이 모래시계의 모래알처럼 손가락 사이로 빠져나가는 듯한 느낌, 아시나요?

아침에 눈을 뜨면 어느새 해가 지고, 월요일인 것 같은데 돌아보니 한 주가 훌쩍 지나있고, 새해 결심을 세운 게 엊그제 같은데 어느새 가을의 한복판에 서 있어요. 단풍이 물들기 시작하는 10월, 올해도 이제 채 3개월이 남지 않았다는 사실이 믿기지 않아요. 이렇게 빠르게 지나가는 시간 속에서, 과연 우리는 정말 '살고' 있는 걸까요? 아니면 그저 시간에 떠밀려가고 있는 걸까요?

특히 1인 기업가로서 일과 삶의 경계가 모호한 저에겐 이 질문이 더욱 절실하게 다가와요. 끝없이 밀려오는 일들 속에서 정작 '나'를 위한 시간은 어디로 사라진 걸까요?

그래서 오늘은 우리 함께 이 빠르게 흘러가는 시간 속에서 어떻게 균형을 찾을 수 있을지, 그 비밀을 찾아보려고 해요. 우리의 하루하루를 조금 더 의미있게, 조금 더 '나답게' 만들 수 있는 방법을 함께 고민해봐요.

⏱️ 효율적인 시간 관리의 마법

얼마 전, 저는 정말 힘든 시기를 겪었어요. 새 프로젝트를 시작했는데, 마감일은 다가오고 일은 계속 밀리고... 밤새워 일하는 날이 많아졌죠. '열심히 일하면 언젠가 보상받겠지'라고 생각했어요.

그런데 어느 날, 거울을 보니 제 얼굴이 너무 초췌해 보이더라고요.

"이렇게 살아서 뭐하나... 일도 안 되고, 건강도 망가지고."

그때 저는 깨달았어요. '더 많은 시간을 일에 쏟는다고 해서 더 생산적인 건 아니구나.' 그래서 제 일하는 방식을 완전히 바꿔보기로 했어요. 여러분께도 제가 배운 몇 가지 시간 관리 팁을 공유할게요:

1. 우선순위 정하기:

매일 아침 커피 한 잔과 함께 그날의 중요한 업무 3가지를 정해요. 이 세 가지만큼은 꼭 처리한다는 마음가짐으로요. 마치 보물 찾기 게임처럼 재미있게!

2. 뽀모도로 기법 활용하기:

25분 집중, 5분 휴식의 사이클로 일해요. 타이머 소리에 맞춰 일하다 보면 어느새 효율성이 쑥쑥 올라가더라고요.

3. 일의 묶음 만들기:

비슷한 성격의 일들을 한꺼번에 처리해요. 이메일 확인, 고객 상담 등을 특정 시간대에 몰아서 하면 효율적이에요. 마치 빨래를 한 번에 모아서 하는 것처럼요!

4. '아니오'라고 말하기:

모든 의뢰를 받아들일 필요는 없어요. 정중하게 거절하는 법을 배웠죠. 제 시간과 에너지의 가치를 인정하게 된 거예요.

5. 완벽주의 내려놓기:

모든 일을 100% 완벽하게 할 필요는 없어요. 80%만 해도 충분한 일들이 많답니다. 가끔은 '이 정도면 됐어!'라고 말해요.

🏃 일에서 의미 찾기: 단순한 일을 특별하게 만드는 비법

1인 기업가로서, 때로는 고립감을 느끼곤 해요. 혼자 모든 걸 해내야 한다는 부담감도 크고요. 그러다 문득 이런 생각이 들었죠. '내가 하는 일이 정말 의미 있는 걸까?'

그 생각을 시작으로 저는 제 일에서 새로운 의미를 찾기 시작했어요.

1. 가치 연결하기:

제 일이 어떻게 고객들에게 도움이 되는지 생각해봤어요. 제가 만든 서비스로 누군가의 일상이 더 편리해진다고 생각하니 뿌듯하더라고요.

2. 성장 기회 찾기:

매 프로젝트를 새로운 것을 배우는 기회로 여겨요. 새로운 기술을 익히거나 지식을 쌓는 과정 자체

가 보물 찾기처럼 재미있어요.

3. 네트워크 만들기:

비슷한 일을 하는 다른 1인 기업가들과 온라인 커뮤니티를 만들었어요. 서로의 경험을 나누고 협업할 기회도 생기더라고요.

4. 창의성 발휘하기:

루틴한 업무에도 자신만의 창의성을 불어넣어요. 프로젝트 기획서를 작성할 때도 조금 더 독창적인 아이디어를 넣으려고 노력하니, 일하는 재미가 더해졌어요.

5. 큰 그림 보기:

제 일이 업계와 사회에 어떤 영향을 미치는지 생각해보니, 작지만 의미 있는 변화를 만들고 있다는 걸 깨달았어요.

🪂 퇴근 후 시간을 알차게 보내는 팁

퇴근 후의 시간은 우리에게 주어진 소중한 선물입니다. 하지만 많은 사람들이 이 시간을 그저 흘려보내곤 하죠. 어떻게 하면 퇴근 후 시간을 더 의미 있게 보낼 수 있을까요?

얼마 전, 저는 매일 퇴근하고 집에 와서 휴대폰만 보다가 잠드는 제 모습을 발견했습니다. 그러다 문득 이런 생각이 들었어요. '내 인생에서 가장 자유로운 이 시간들을 더 특별하게 보낼 수는 없을까?'

그렇게 시작한 작은 변화들이 제 삶을 더욱 풍요롭게 만들어주었습니다. 여러분과 그 방법들을 나누고 싶어요.

1. 황금시간 만들기

  - 퇴근 직후 1시간을 '나만의 황금시간'으로 정하기

  - 이 시간에는 SNS나 메시지 확인 자제하기

  - 오늘 하루를 정리하고 내일을 계획하는 시간으로 활용하기

2. 미니 루틴 만들기

  - 집에 도착하자마자 환기하고 간단한 스트레칭하기

  - 편안한 옷으로 갈아입고 따뜻한 차 한잔 마시기

  - 10분 동안 하루를 정리하는 짧은 일기 쓰기

3. 자기계발 시간 확보하기

  - 일주일에 2-3일은 배움의 시간으로 활용하기

  - 온라인 강의 듣기

  - 관심 분야의 책 읽기

  - 새로운 취미 배워보기

4. 건강 관리하기

  - 간단한 홈트레이닝하기

  - 가벼운 산책하기

  - 건강한 저녁 식사 준비하기

5. 관계 돌보기

- 가족과 대화의 시간 가지기

- 친구와 전화나 화상 통화하기

- 반려동물과 놀아주기

- 가까운 이웃과 인사 나누기

6. 취미 생활 즐기기

- 매일 15분이라도 좋아하는 취미 활동하기

- 다음 날 피곤하지 않을 정도로 시간 조절하기

- 주말에 더 깊이 있게 즐길 취미 준비하기

7. 휴식의 질 높이기

- 무의미한 스마트폰 사용 줄이기

- 잠들기 전 1시간은 블루라이트 차단하기

- 조용한 음악 듣기

- 가벼운 독서하기

8. 정리 정돈하기

- 퇴근 후 10분 동안 주변 정리하기

- 내일 입을 옷 준비해두기

- 다음 날 필요한 물건 챙기기

이러한 활동들을 시작할 때 기억해야 할 것들이 있습니다:

- 욕심내지 않기: 한 번에 많은 것을 하려고 하지 마세요.

- 작게 시작하기: 5분부터 시작해도 괜찮습니다.

- 유연하게 대처하기: 상황에 따라 계획을 조정할 수 있어요.

- 나만의 방식 찾기: 다른 사람의 방식을 그대로 따르지 않아도 됩니다.

- 즐기면서 하기: 스트레스가 되는 순간 잠시 멈추어 보세요.

퇴근 후 시간을 어떻게 보내느냐에 따라 우리의 삶의 질이 달라집니다. 당장 오늘 저녁부터, 여러분만의 특별한 시간을 만들어보는 건 어떨까요? 작은 변화가 쌓여 큰 차이를 만들어낼 거예요.

Remember:

퇴근 후의 시간은 온전히 나의 것입니다. 이 소중한 시간을 의미 있게 채워나가세요. 그것이 바로 일과 삶의 균형을 찾아가는 첫걸음입니다.

🩶 주말을 더 특별하게 만드는 아이디어

주말은 우리에게 주어진 소중한 선물입니다. 하지만 종종 주말이 끝나고 나면 '또 그냥 흘려보냈다'는 아쉬움이 남곤 하죠. 어떻게 하면 주말을 더 특별하고 의미 있게 보낼 수 있을까요?

얼마 전, 저는 매주 반복되는 주말이 왜 이렇게 허무하게 느껴지는지 곰곰이 생각해보았습니다. 그리고 깨달았죠. 주말을 특별하게 만드는 것은 거창한 계획이 아니라, 작은 기대와 설렘이라는 것을요.

1. 금요일 저녁의 마법

  - 주말 계획 간단히 메모하기

  - 집 정리정돈으로 상쾌한 주말 맞이하기

  - 따뜻한 반신욕으로 한 주의 피로 풀기

  - 좋아하는 음악 들으며 주말 설렘 즐기기

2. 여유로운 주말 아침

  - 평소보다 30분만 일찍 일어나기

  - 창문 열고 상쾌한 공기 마시기

  - 느긋한 아침 식사 즐기기

  - 가벼운 스트레칭으로 몸 깨우기

3. 취미 깊이 있게 즐기기

- 평일에는 못 했던 취미 활동에 충분한 시간 투자하기

- 새로운 취미 한 가지 시도해보기

- 같은 취미를 가진 사람들과 만나기

- 취미 관련 온/오프라인 클래스 참여하기

4. 자연과 함께하기

- 근처 공원 산책하기

- 식물 가꾸기

- 피크닉 즐기기

- 자전거 타기

5. 특별한 식사 시간

   - 새로운 레시피 시도해보기

   - 가족과 함께 요리하기

   - 브런치 만들어 먹기

   - 평소 가보고 싶었던 맛집 방문하기

6. 문화생활 즐기기

   - 전시회 관람하기

   - 영화 보기

   - 공연 관람하기

   - 도서관이나 서점 방문하기

7. 관계 돈독히 하기

   - 오랜만에 친구들 만나기

   - 가족과 함께하는 시간 만들기

   - 부모님께 안부 전화하기

   - 반려동물과 더 많은 시간 보내기

8. 나를 위한 투자

   - 셀프 케어 시간 가지기

   - 주간 일기 쓰기

   - 새로운 것 배워보기

   - 다음 주 계획 세우기

💡 주말을 더 특별하게 만드는 꿀팁

1. 미리 계획하기

- 대략적인 계획만 세우기

- 여유 시간 반드시 확보하기

- 날씨 미리 체크하기

- 필요한 준비물 미리 챙기기

2. 균형 잡기

- 활동적인 시간과 휴식 시간 적절히 배분하기

- 혼자만의 시간과 함께하는 시간 균형 맞추기

- 실내 활동과 실외 활동 조화롭게 하기

3. 특별함 더하기

- 평일과는 다른 아침 식사 준비하기

- 특별한 음악 플레이리스트 만들기

- 평소와 다른 장소 방문하기

- 소소한 이벤트 만들기

Remember:

- 완벽한 계획이 아니라 즐거운 마음가짐이 중요합니다.

- 때로는 아무것도 하지 않는 여유로움도 필요해요.

- SNS나 업무 메일 확인은 최소화하세요.

- 주말의 특별함은 거창한 계획이 아닌 작은 설렘에서 시작됩니다.

- 이번 주말은 못해도 다음 주말이 있습니다. 조급해하지 마세요.

- 계절과 날씨를 고려한 활동을 선택하세요.

주말은 우리 삶에 색다른 즐거움을 더해주는 소중한 시간입니다. 이번 주말부터 작은 변화를 시도해보는 건 어떨까요? 여러분만의 특별한 주말을 만들어보세요. 그 시간들이 모여 더욱 풍성한 삶이 될거예요.

매주 반복되는 주말이지만, 우리의 마음가짐에 따라 매번 새롭고 특별한 시간이 될 수 있습니다. 이번 주말, 여러분은 어떤 특별함을 만들어보고 싶으신가요?

🔌 일과 휴식의 경계 만들기: 번아웃 예방법

1인 기업가에게 '퇴근'이란 개념이 모호하죠. 하지만 건강한 삶을 위해서는 일과 휴식의 경계를 명확히 해야 해요. 제가 노력하고 있는 방법을 공유할게요:

1. 유연한 '퇴근' 시간 정하기:

매일 정확히 같은 시간에 일을 끝내긴 어렵지만, 대략적인 '퇴근' 시간을 정해두려고 노력해요. 그 시간이 지나면 급한 일이 아닌 이상 다음 날로 미뤄요.

2. 운동하기:

일을 마치면 30분 동안 동네 한 바퀴를 걸어요. 이 시간이 일과 휴식의 전환점이 되더라고요.

3. 취미 활동하기:

저녁 식사 후에는 동네나 한강을 산책하며 스마트폰으로 일상의 소소한 순간들을 사진으로 남겨요. 이 시간이 제게는 가장 행복한 시간이에요. 찍은 사진들을 보면 일상의 아름다움을 새삼 깨닫게 되죠.

4. 디지털 디톡스:

주말엔 업무용 이메일과 메신저 알림을 꺼둬요. 세상과 단절된 것 같지만, 오히려 더 충만해져요.

5. 감사 일기 쓰기:

잠들기 전 그날 있었던 감사한 일 세 가지를 적어요. 작은 것에도 감사하다 보면 마음이 풍요로워져요.

일과 삶의 균형을 찾는 여정은 끝이 없어요. 하지만 그 과정 자체가 우리 삶을 더 풍요롭게 만들어줘요. 1인 기업가로서, 저는 매일 새로운 도전과 마주하지만, 동시에 제 삶을 더 주도적으로 살아가고 있다고 느껴요.

여러분의 하루하루가 일과 삶의 조화 속에서 더욱 빛나길 바라요. 그리고 기억하세요, 우리 모두 각자의 방식으로 열심히 살아가고 있다는 걸요.

오늘 하루도 수고 많으셨어요. 내일은 더 균형 잡힌 하루가 되길 바라며, 오늘 밤엔 편안한 휴식 취하세요.

그리고 잊지 마세요, 빠르게 흘러가는 시간 속에서도 우리의 작은 순간들은 모두 소중하답니다.

그 순간들을 온전히 느끼고 즐기는 것, 그것이 바로 '눈부시게 살아가는' 비결이 아닐까요?

오늘을 살아요 눈이 부시게

[부록] 주간 시간 관리 플래너

이름: _____

날짜: _____

주간 목표:

1. _____

2. _____

3. _____

우선순위 매트릭스:

1. 긴급하고 중요한 일 (즉시 처리):

_____

2. 중요하지만 긴급하지 않은 일 (계획 수립):

_____

3. 긴급하지만 중요하지 않은 일 (위임 또는 최소화):

_____

4. 긴급하지도 중요하지도 않은 일 (제거 또는 최소화):

_____

일일 계획:

월요일

6AM-9AM: _____

9AM-12PM: _____

12PM-3PM: _____

3PM-6PM: _____

6PM-9PM: _____

To-Do: ☐ _____ ☐ _____ ☐

화요일

6AM-9AM: _____

9AM-12PM: _____

12PM-3PM: _____

3PM-6PM: _____

6PM-9PM: _____

To-Do: ☐ _____ ☐ _____ ☐

수요일

6AM-9AM: _____

9AM-12PM: _____

12PM-3PM: _____

3PM-6PM: _____

6PM-9PM: _____

To-Do: ☐ _____ ☐ _____ ☐

목요일

6AM-9AM: _____

9AM-12PM: _____

12PM-3PM: _____

3PM-6PM: _____

6PM-9PM: _____

To-Do: ☐ _____ ☐ _____ ☐

금요일

6AM-9AM: _____

9AM-12PM: _____

12PM-3PM: _____

3PM-6PM: _____

6PM-9PM: _____

To-Do: ☐ _____ ☐ _____ ☐

주말 계획:

토요일: _____

일요일: _____

주간 리뷰:

이번 주 성과: _____

개선할 점: _____

다음 주 준비: _____

자기 관리:

운동 계획: _____

식단 계획: _____

휴식/취미 활동: _____

주간 감사 일기:

1. _____

2. _____

3. _____

Remember:

- 시간은 당신의 가장 소중한 자산입니다. 현명하게 사용하세요.

- 우선순위 매트릭스를 활용해 tasks를 효과적으로 관리하세요.

- 모든 일을 완벽하게 할 필요는 없습니다. 중요한 일에 집중하세요.

- 휴식과 자기 관리도 중요한 일과입니다. 반드시 시간을 할애하세요.

- 계획은 변경될 수 있습니다. 유연성을 가지되, 핵심 목표는 놓치지 마세요.

- 매일 밤 다음 날의 계획을 검토하고 조정하세요.

- 주간 리뷰를 통해 지속적으로 개선해 나가세요.

- '긴급하고 중요한 일'을 줄이고 '중요하지만 긴급하지 않은 일'에 더 집중하세요.

- 작은 성취도 축하하세요. 그것이 큰 변화의 시작입니다.

이 플래너가 당신의 생산적이고 균형 잡힌 삶을 위한 나침반이 되기를 바랍니다!

매주 새로운 도전과 성장을 경험하며, 당신의 삶이 더욱 풍요로워지길 기대합니다.

오늘을 살아요 눈이 부시게

6장: 스트레스 관리, 마음의 평화 찾기

여러분, 오늘 하루 어떠셨나요? 혹시 스트레스 때문에 어깨가 무거워지거나 마음이 복잡해진 적은 없으셨나요?

현대 사회를 살아가는 우리에게 스트레스는 마치 공기처럼 늘 함께하는 존재가 되어버렸어요. 하지만 그렇다고 해서 스트레스에 굴복할 필요는 없답니다. 오히려 우리는 스트레스를 잘 다루는 법을 배워야 해요.

제 경험을 하나 나눠볼게요. 얼마 전, 중요한 프로젝트 마감일이 다가오고 있었어요. 시간은 부족하고, 해야 할 일은 산더미처럼 쌓여있었죠. 밤낮없이 일했지만, 스트레스는 점점 더 커져만 갔어요. 그러다 문득 이런 생각이 들었어요. '이렇게 살면 안 되겠다.'

그래서 저는 잠시 일손을 놓고 깊은 숨을 들이쉬었어요. 그리고 스트레스 관리법에 대해 공부하기 시작했죠. 놀랍게도 작은 습관들이 제 삶을 크게 바꿔놓았어요. 이제 그 방법들을 여러분과 나누고 싶습니다.

🪂 일상 속 스트레스 해소법

1. 깊은 호흡하기:

　하루에 몇 번, 아주 깊게 숨을 들이쉬고 내쉬어보세요. 이것만으로도 놀라운 효과가 있어요.

2. 운동하기:

　꼭 격한 운동이 아니어도 돼요. 가벼운 산책만으로도 스트레스 해소에 큰 도움이 됩니다.

3. 충분한 수면 취하기:

　밤에 7-8시간의 충분한 수면을 취하세요. 숙면은 최고의 스트레스 해소제예요.

4. 건강한 식단 유지하기:

　영양 균형이 잡힌 식사는 우리 몸과 마음을 건강하게 만들어줍니다.

5. 취미 활동하기:

　좋아하는 일에 집중하는 시간을 가져보세요. 그 순간만큼은 모든 걱정을 잊을 수 있을 거예요.

😍 긍정적 사고방식 기르기

우리의 생각이 현실을 만든다는 말, 들어보셨나요? 긍정적 사고는 단순히 '긍정적으로 생각하자'가 아니에요. 현실을 있는 그대로 받아들이되, 그 속에서 희망을 발견하는 거죠.

1. 자기 대화 바꾸기:

   "난 할 수 없어"를 "어떻게 하면 할 수 있을까?" 로 바꿔보세요.

2. 감사 연습하기:

   매일 감사한 일 세 가지를 적어보세요. 작은 것부터 시작해도 좋아요.

3. 실패를 배움의 기회로 보기:

실패는 끝이 아니라 새로운 시작이에요. 그 속에서 교훈을 찾아보세요.

4. 타인과 비교하지 않기:

여러분의 여정은 unique해요. 남들과 비교할 필요가 없답니다.

🛁 마음챙김의 기술: 현재에 집중하는 방법

마음챙김은 현재 순간에 온전히 집중하는 것을 말해요. 과거나 미래의 걱정에서 벗어나 지금 이 순간을 충실히 살아가는 거죠.

1. 5분 명상하기:

　하루에 5분, 조용히 앉아 호흡에 집중해보세요.

2. 일상 속 마음챙김:

　식사할 때는 음식의 맛과 향에, 걸을 때는 발의 움직임에 집중해보세요.

3. 감각 인식하기:

　지금 이 순간 보이는 것, 들리는 것, 느껴지는 것에 집중해보세요.

4. 판단하지 않기:

　생각이나 감정이 떠오르면 그저 관찰만 하세요. 좋고 나쁨을 판단하지 않아요.

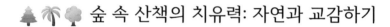 숲 속 산책의 치유력: 자연과 교감하기

자연은 우리에게 놀라운 치유력을 선사해요. 바쁜 일상 속에서 잠시 자연을 찾아보는 건 어떨까요?

1. 숲 속 걷기:

   나무 사이를 걸으며 맑은 공기를 마셔보세요. 스트레스가 눈 녹듯 사라질 거예요.

2. 자연의 소리 듣기:

   새소리, 물소리, 바람 소리에 귀 기울여보세요. 마음이 편안해질 거예요.

3. 맨발로 땅 밟기:

   잔디나 모래를 맨발로 밟아보세요. 대지의 에너지를 느낄 수 있을 거예요.

4. 자연물 관찰하기:

   꽃, 나뭇잎, 돌멩이 등 자연물을 자세히 관찰해보세요. 작은 세계에 빠져들 수 있어요.

🧸 불안과 걱정을 다스리는 실용적인 팁

불안과 걱정은 우리 모두가 경험하는 감정이에요. 하지만 이를 잘 다루는 방법을 배울 수 있답니다.

1. 걱정 시간 정하기:

   하루 중 15분을 '걱정 시간'으로 정해두세요. 그 외의 시간에는 걱정을 미뤄두는 거예요.

2. 최악의 시나리오 상상하기:

   가장 걱정되는 상황을 상상해보고, 그에 대한 대처 방법을 생각해보세요. 준비된 마음은 덜 불안해요.

3. 현실 검증하기:

   내 걱정이 현실적인지 객관적으로 살펴보세요.

대부분의 걱정은 실제로 일어나지 않아요.

4. 긴장 이완법 사용하기:

근육을 천천히 긴장시켰다 이완시키는 방법으로 불안을 줄일 수 있어요.

스트레스 관리와 마음의 평화 찾기는 평생의 과제예요. 하루아침에 모든 것이 바뀌진 않을 거예요. 하지만 조금씩 꾸준히 노력한다면, 분명 변화가 찾아올 거예요.

오늘부터 이 방법들 중 하나를 선택해 실천해보는 건 어떨까요? 여러분의 마음에 작은 평화가 찾아오길 바랍니다. 그리고 그 평화가 여러분의 삶을 더욱 눈부시게 만들어주길 응원할게요.

자, 이제 오늘 하루, 어떤 방법으로 마음의 평화를 찾아볼까요?

[부록1] 스트레스 해소를 위한 5분 호흡 기법 설명서

이 설명서는 일상에서 쉽게 실천할 수 있는 5분 호흡 기법을 소개합니다. 스트레스를 느낄 때마다 이 기법을 활용해보세요.

준비:

- 편안한 자세로 앉거나 서세요.

- 눈을 감거나 부드럽게 바닥을 응시하세요.

- 어깨의 긴장을 풀고 턱을 살짝 내리세요.

1. 기본 복식호흡 (1분)

  - 코로 4초간 숨을 들이마시며 배를 부풀리세요.

  - 2초간 숨을 참으세요.

  - 입으로 6초간 천천히 숨을 내쉬세요.

  - 5회 반복

2. 4-7-8 호흡법 (1분)

- 코로 4초간 숨을 들이마시세요.

- 7초간 숨을 참으세요.

- 입으로 8초간 '후'하고 소리 내며 숨을 내쉬세요.

- 4회 반복

3. 교대 콧구멍 호흡 (1분)

- 오른손 엄지로 오른쪽 콧구멍을 막으세요.

- 왼쪽 콧구멍으로 4초간 숨을 들이마시세요.

- 왼쪽 콧구멍을 막고 오른쪽 콧구멍으로 4초간 숨을 내쉬세요.

- 오른쪽 콧구멍으로 4초간 들이마시고, 왼쪽으

로 4초간 내쉬세요.

　- 4회 반복

4. 사각 호흡법 (1분)

　- 코로 4초간 들이마시세요.

　- 4초간 숨을 참으세요.

　- 입으로 4초간 내쉬세요.

　- 4초간 쉬세요.

　- 3회 반복

5. 집중 호흡 (1분)

　- 코로 천천히 숨을 들이마시며 1부터 5까지 세어보세요.

- 잠시 숨을 참으세요.

   - 입으로 천천히 숨을 내쉬며 5부터 1까지 세어
보세요.

   - 4회 반복

실천 일지:

날짜: _____

사용한 기법: □ 기본 복식호흡 □ 4-7-8 호흡법
□ 교대 콧구멍 호흡 □ 사각 호흡법 □ 집중 호
흡

스트레스 레벨 (1-10): 실천 전 __ 실천 후 __

소감: _____

Remember:

- 규칙적인 호흡에 집중하세요. 마음이 산만해지면 다시 호흡으로 돌아오세요.

- 호흡을 강제로 조절하지 말고 자연스럽게 흐르게 두세요.

- 어지러움을 느끼면 즉시 중단하고 평소대로 호흡하세요.

- 매일 연습할수록 효과가 증대됩니다. 습관화하려고 노력해보세요.

- 스트레스 상황에서도 이 기법들을 활용할 수 있도록 연습하세요.

\- 호흡과 함께 긍정적인 자기 암시를 하면 더욱 효과적입니다.

이 호흡 기법들로 일상의 스트레스를 해소하고, 평온한 마음을 유지하세요!

오늘을 살아요 눈이 부시게

7장: 꿈을 향한 작은 발걸음

여러분, 마음 한 구석에 간직하고 있는 소망이 있나요? 꼭 어릴 적 꿈일 필요는 없어요. 삶을 살아가며 문득 떠오른 작은 희망, 언젠가는 꼭 해보고 싶은 일 말이에요.

저에게는 그런 소망이 하나 있었어요. 바로 제 이름으로 책 한 권을 출판하는 것이었죠. 작가가 되는 것이 어릴 적 꿈은 아니었지만, 살아가면서 점점 더 강하게 느껴졌어요. '내 생각과 경험을 책으로 남기고 싶다', '누군가에게 작은 위로와 힘이 되는 이야기를 전하고 싶다'는 마음이 자라났죠.

하지만 현실은 녹록지 않았어요. 바쁜 일상 속에서 글 쓸 시간을 내기도 힘들었고, '과연 내가 할 수 있을까?'하는 의심도 계속 들었죠. 그래도 그 작은 소망은 제 마음 한 켠에서 계속 속삭였어요. "언젠가는, 꼭…"

그러다 문득 이런 생각이 들었어요. "지금 시작하지 않으면 영원히 시작하지 못할 거야." 그 순간, 저는 결심했습니다. 아주 작은 것부터 시작하기로요.

매일 10분씩 글을 쓰기 시작했어요. 때로는 형편없는 글이 나오기도 했지만, 포기하지 않고 꾸준히 썼죠. 그러다 보니 조금씩 나아지는 제 모습을 발견할 수 있었습니다. 그리고 지금, 여러분과 이렇게 책으로 만나고 있네요.

꿈을 향한 여정은 결코 쉽지 않습니다. 하지만 불가능한 것도 아니에요. 작은 발걸음부터 시작해볼까요?

🖼 나만의 드림보드 만들기

드림보드는 우리의 꿈을 시각화하는 강력한 도구
예요.

1. 아이패드나 태블릿, 혹은 스마트폰을 준비하세
요.

2. 'Canva'나 'PicCollage' 같은 앱을 사용해보세
요.

3. 템플릿을 활용하거나 빈 캔버스에 자유롭게 꾸
며보세요.

4. 영감을 주는 이미지들을 찾아 추가하세요.

5. 꿈과 관련된 긍정적인 문구나 명언을 입력하세
요.

6. 완성된 드림보드를 휴대폰 배경화면으로 설정하거나, 자주 볼 수 있는 곳에 두세요.

드림보드는 언제든 수정하고 업데이트할 수 있어요. 꿈이 변화하고 발전함에 따라 드림보드도 함께 성장할 수 있답니다.

📋 목표 설정의 기술: SMART 원칙

꿈을 이루기 위해서는 구체적인 목표가 필요해요. SMART 원칙을 활용해 효과적인 목표를 세워보세요.

- Specific (구체적): 목표를 명확하게 정의하세요.

- Measurable (측정 가능한): 진행 상황을 측정할 수 있어야 해요.

- Achievable (달성 가능한): 현실적으로 이룰 수 있는 목표여야 합니다.

- Relevant (관련성 있는): 꿈과 직접적인 관련이 있어야 해요.

- Time-bound (기한이 있는): 목표 달성 기한을 정하세요.

예를 들어, "책을 쓰고 싶다"는 막연한 꿈 대신 "6개월 안에 에세이 50편을 완성하고 출판사에 투고한다"와 같이 구체적인 목표를 세워보세요.

📝 작은 성취의 힘: 소소한 목표 달성하기

큰 꿈은 작은 성취들로 이루어집니다. 매일 조금씩 진전을 이루는 것이 중요해요.

1. 하루 목표 세우기: 매일 아침 그날의 작은 목표를 세우세요.

2. 디지털 체크리스트 만들기: 할 일 목록을 만들고 하나씩 체크해나가세요.

3. 작은 성공 축하하기: 목표를 달성할 때마다 자신에게 작은 보상을 주세요.

4. 진전 기록하기:

  - 일기 쓰기: 매일 밤 5분만 투자해 그날의 작은 성취, 느낀 점, 감사한 일들을 기록해보세요. 시간이 지나 돌아볼 때 여러분의 성장 과정이 생생히

살아날 거예요.

 - 블로그 운영하기: 주 1회 여러분의 도전 과정, 배운 점, 극복한 어려움들을 블로그에 정리해보세요. 글쓰기 실력도 늘고, 비슷한 꿈을 꾸는 사람들과 연결될 수 있어요.

 - 인스타그램 활용하기: 짧은 릴스로 일상의 변화를 보여주거나, 카드뉴스 형식으로 배운 점들을 정리해 올려보세요. 시각적으로 매력적인 콘텐츠로 더 많은 사람들과 소통하며 동기부여를 받을 수 있어요.

 - 유튜브 도전하기: 월 1회 '꿈을 향한 여정' 영상을 만들어보세요. 카메라 앞에서 이야기하며 자신감도 기르고, 영상 편집 기술도 배울 수 있어요. 여러분의 이야기가 누군가에겐 큰 영감이 될 수 있답니다.

이런 작은 성취들이 모여 큰 변화를 만들어낼 거예요. 지금 당장 시작해보세요. 오늘 밤 잠들기 전, 작은 일기장을 펼치거나 휴대폰 메모장을 열어 오늘 하루를 정리해보는 건 어떨까요?

👏 실패를 두려워하지 않는 자세 기르기

꿈을 향한 여정에는 실패가 따르기 마련입니다. 하지만 실패는 끝이 아니라 새로운 시작이에요.

1. 실패를 배움의 기회로 보기: 실패에서 교훈을 찾아보세요.

2. 완벽주의 버리기: 실수를 두려워하지 말고 도전하세요.

3. 긍정적 자기 대화 연습하기: "난 할 수 없어"대신 "이번엔 어떻게 해볼까?"라고 생각해보세요.

4. 실패 경험 공유하기: 다른 사람들과 실패 경험을 나누면서 위안과 조언을 얻어보세요.

실패를 두려워하지 않는 사람은 결국 성공에 더 가까이 갈 수 있어요.

🔁🔁 꿈을 현실로 만드는 마인드맵 그리기

마인드맵은 우리의 생각을 정리하고 계획을 세우는 데 아주 유용한 도구예요.

1. XMIND 같은 마인드맵 앱을 사용해보세요.

2. 중앙에 여러분의 꿈을 적으세요.

3. 그 꿈에서 뻗어나가는 가지들을 만드세요. 각 가지는 꿈을 이루기 위해 필요한 요소들이에요.

4. 각 요소에서 다시 작은 가지들을 뻗어나가게 하세요. 이는 세부 계획이나 아이디어가 될 수 있어요.

5. 색깔, 아이콘, 이미지 등을 사용해 마인드맵을 더 생생하게 만드세요.

마인드맵은 언제든 수정과 업데이트가 가능해요. 새로운 아이디어가 떠오를 때마다 쉽게 추가할 수 있죠.

꿈을 향한 여정은 때로는 힘들고 지칠 수 있어요. 하지만 포기하지 마세요. 매일 조금씩 전진하다 보면, 어느새 꿈에 한 발짝 더 가까워져 있는 자신을 발견하게 될 거예요.

오늘부터 여러분의 꿈을 위해 무엇을 할 수 있을까요? 아주 작은 것부터 시작해보세요. 책 한 페이지 읽기, 5분 운동하기, 새로운 기술 배우기 등 무엇이든 좋아요.

여러분의 꿈이 현실이 되는 그 날까지, 저도 함께 응원하고 있을게요. 작은 발걸음부터 시작해봐요. 그 발걸음이 모여 여러분을 꿈으로 인도할 거예요.

자, 이제 여러분의 꿈은 무엇인가요? 그리고 오늘, 그 꿈을 위해 어떤 작은 발걸음을 내딛어 보시겠어요? 지금 이 순간, 여러분의 꿈을 향한 첫 걸음을 떼어보세요. 그 작은 시작이 여러분의 인생을 변화시킬 거예요.

오늘을 살아요 눈이 부시게

[부록1] SMART 목표 설정 워크시트

목표: _____

S – Specific (구체적)

이 목표는 무엇인가요? 누가, 무엇을, 어디서, 언제, 왜, 어떻게 할 것인지 구체적으로 적어보세요.

_____

_____

M – Measurable (측정 가능한)

이 목표의 성공을 어떻게 측정할 수 있나요? 구체적인 수치나 기준을 정해보세요.

_____

_____

A - Achievable (달성 가능한)

이 목표는 현실적으로 달성 가능한가요? 필요한 자원과 제약 사항을 고려해보세요.

_____

_____

R - Relevant (관련성 있는)

이 목표가 당신의 장기적인 목표나 가치관과 어떻게 연관되나요?

_____

_____

T - Time-bound (기한이 있는)

이 목표를 언제까지 달성하고 싶나요? 구체적인 날짜를 정해보세요.

_____

_____

실행 계획:

1. _____

2. _____

3. _____

잠재적 장애물:

1. _____

2. _____

극복 방안:

1. _____

2. _____

지원 및 자원:

누구에게 도움을 요청할 수 있나요? 어떤 자원이
필요한가요?

_____

진행 상황 체크 일정:

☐ 1주 후 : _____

☐ 1개월 후: _____

☐ 3개월 후: _____

목표 달성 시 보상:

_____

서명: _____ 날짜: _____

Remember:

목표는 당신의 성장과 발전을 위한 것입니다.

주기적으로 이 워크시트를 검토하고 필요하다면 수정하세요.

작은 진전도 축하하며 꾸준히 나아가세요!

[부록2] 드림보드 만들기 단계별 가이드

1. 준비 단계

   - 필요한 재료: 큰 종이나 보드, 잡지, 가위, 풀, 펜, 색연필 또는 마커

   - 조용하고 편안한 장소 선정

   - 긍정적인 마음가짐으로 시작하기

2. 목표 설정

   - 드림보드에 담고 싶은 꿈과 목표 리스트 작성

   - 단기, 중기, 장기 목표로 나누어 보기

   - 개인, 직업, 관계, 건강 등 다양한 영역 고려하기

3. 이미지 수집

   - 목표와 관련된 이미지 찾기 (잡지, 인터넷 등에서)

   - 영감을 주는 단어나 문구 선별하기

   - 개인적으로 의미 있는 사진이나 그림 준비하기

4. 레이아웃 구상

   - 보드 중앙에 가장 중요한 목표 배치

   - 관련 있는 이미지들을 그룹화하기

   - 시간 순서나 우선순위에 따라 배열해보기

5. 이미지 부착

- 구상한 레이아웃대로 이미지 붙이기

- 필요하다면 중간중간 여백 두기

- 겹쳐 붙이거나 콜라주 형식으로 배치해보기

6. 문구 추가

- 목표를 구체화하는 긍정적인 문구 작성하기

- 영감을 주는 명언이나 좋아하는 가사 넣기

- 달성하고 싶은 구체적인 숫자나 날짜 기입하기

7. 색상과 장식 더하기

- 컬러 펜이나 마커로 강조하고 싶은 부분 표시

- 스티커, 리본 등으로 장식 추가하기

- 전체적인 색감 조화 확인하기

8. 완성 및 배치

- 전체를 다시 한 번 검토하고 필요하면 수정하기

- 드림보드를 자주 볼 수 있는 장소에 배치하기

- 액자에 넣거나 코팅하여 보존성 높이기

9. 주기적 리뷰 및 업데이트

- 매일 아침 또는 저녁에 잠깐씩 바라보기

- 월 1회 정도 자세히 살펴보고 진전 사항 체크하기

- 필요시 새로운 목표나 이미지 추가하기

10. 실천 계획 세우기

- 드림보드의 각 목표에 대한 구체적인 행동 계획 작성

- 작은 단계부터 시작하여 점진적으로 실천해나가기

- 성취한 목표는 체크하고 축하하기

☝️ 기억하세요: 드림보드는 단순한 꾸미기가 아닌, 당신의 꿈과 목표를 시각화하고 매일 상기시키는 강력한 도구입니다. 진심을 담아 만들고, 자주 바라보며, 그에 따라 행동할 때 가장 큰 효과를 볼 수 있습니다.

오늘을 살아요 눈이 부시게

8장: 하루를 마무리하는 특별한 방법

하루의 끝, 여러분은 어떻게 보내시나요? 많은 사람들이 하루를 그저 흘려보내곤 합니다. 하지만 하루를 어떻게 마무리하느냐가 다음 날의 시작을 좌우하고, 나아가 우리의 삶의 질을 결정짓는다는 사실, 알고 계셨나요?

저 역시 오랫동안 하루의 끝을 그저 잠자리에 드는 시간쯤으로만 여겼습니다. 하지만 책을 쓰는 과정에서 하루를 의미 있게 마무리하는 것의 중요성을 깨달았어요. 그 후로 제 삶에 작지만 큰 변화가 찾아왔답니다.

오늘은 하루를 특별하게 마무리하는 방법들을 함께 나누어 볼까 합니다. 이 방법들이 여러분의 삶을 더욱 풍요롭게 만들어 줄 거예요.

🌆 하루를 정리하는 저녁 루틴

일관된 저녁 루틴은 하루를 잘 마무리하고 편안한 밤을 보내는 데 큰 도움이 됩니다.

1. 디지털 기기로부터의 해방: 잠들기 1시간 전부터는 스마트폰, 컴퓨터, TV를 멀리하세요. 블루라이트는 수면을 방해한답니다.

2. 따뜻한 차 한잔: 카페인 없는 허브티를 마셔보세요. 캐모마일이나 라벤더 티 등이 숙면에 도움을 줄 수 있어요.

3. 가벼운 스트레칭: 10분 정도 몸을 부드럽게 풀어 주세요. 유튜브에서 '취침 전 스트레칭'을 검색해보세요.

4. 독서 시간: 잠들기 전 20분 독서는 스트레스 해소에 탁월해요. 가벼운 소설이나 에세이가 좋습니다.

5. 감사 일기 쓰기: 오늘 하루 감사한 일 세 가지를 적어보세요. 작은 행복을 발견하게 될 거예요.

이 중 두세 가지만 선택해 꾸준히 실천해보세요. 2주만 지나도 큰 변화를 느끼실 수 있을 거예요.

🌙 내일을 위한 준비: 간단한 계획 세우기

잠들기 전 5분만 투자해 내일을 계획해보세요. 이는 불안감을 줄이고 하루를 효율적으로 보내는 데 큰 도움이 됩니다.

1. 내일의 중요한 할 일 3가지를 메모하세요.

2. 내일 입을 옷을 미리 골라두세요.

3. 내일의 일정을 간단히 머릿속에 그려보세요.

4. 내일 들을 팟캐스트나 오디오북을 정해두세요.

이렇게 준비를 해두면 아침에 더 상쾌한 기분으로 하루를 시작할 수 있어요.

👏 긍정적인 자기 대화로 하루 마무리하기

우리의 잠재의식은 잠들기 전 15분과 잠에서 깨어난 후 15분 동안 가장 활성화됩니다. 이 시간을 활용해 자신과의 긍정적인 대화를 나눠보세요.

1. 오늘 잘한 일 칭찬하기: "오늘 회의 때 내 의견을 잘 전달했어. 정말 잘했어!"

2. 실수를 교훈으로 바꾸기: "점심 약속에 늦었지만, 이를 통해 시간 관리의 중요성을 배웠어."

3. 내일의 나에게 응원의 메시지 보내기: "내일도 충분히 잘 해낼 거야. 넌 할 수 있어!"

거울을 보며 직접 말해보는 것도 좋고, 마음속으로 생각하는 것도 좋아요. 중요한 건 진심을 담는 거예요.

🛏️ 고요한 밤: 숙면을 위한 이완 기법

편안한 잠자리는 피로 회복과 내일을 위한 에너지 충전에 필수적입니다. 잠들기 전 이완 기법을 시도해보세요.

1. 점진적 근육 이완법: 발끝부터 시작해 온몸의 근육을 하나씩 긴장시켰다 이완시켜 보세요.

2. 복식호흡: 배에 손을 얹고 깊게 숨을 들이마셨다 내쉬기를 10번 반복해보세요.

3. 바디스캔 명상: 발끝부터 머리끝까지 천천히 주의를 기울이며 몸의 감각을 느껴보세요.

이 중 가장 편안함을 느끼는 방법을 선택해 매일 밤 실천해보세요. 숙면에 큰 도움이 될 거예요.

😍 감사함을 담은 하루의 마지막 생각

잠들기 직전 마지막 생각이 중요합니다. 감사한 마음으로 하루를 마무리해보세요.

1. 오늘 하루 중 가장 감사한 순간을 떠올려보세요.

2. 그 순간을 생생하게 상상하며 그때의 행복감을 다시 한 번 느껴보세요.

3. 그 행복을 가능하게 해준 모든 것들에 감사의 마음을 전해보세요.

이렇게 감사한 마음으로 잠들면, 더 편안한 밤과 활기찬 아침을 맞이할 수 있답니다.

하루를 어떻게 마무리하느냐가 우리의 삶의 질을 결정합니다. 오늘 밤부터 이 방법들을 하나씩 시도해보는 건 어떨까요? 작은 변화가 모여 큰 변화를 만들어낼 거예요.

여러분의 하루하루가 특별해지기를, 그리고 그 특별한 하루가 모여 눈부신 인생이 되기를 진심으로 응원합니다.

오늘 하루도 수고하셨습니다. 편안한 밤 되세요.

오늘을 살아요 눈이 부시게

[부록] 긍정적 자기 대화를 위한 30일 챌린지 가이드

이름: _____

시작 날짜: _____

목표: 30일 동안 매일 긍정적인 자기 대화를 실천하여 자신감을 높이고 정신 건강을 개선합니다.

사용 방법:

1. 매일 제시된 긍정적 자기 대화 문구를 소리 내어 말하세요.

2. 해당 문구에 대한 자신만의 변형이나 추가 생각을 적어보세요.

3. 하루 동안 이 긍정적인 메시지를 최소 3번 이상 반복하세요.

4. 실천 여부를 체크하고, 간단한 소감을 적어보세요.

Day 1: "나는 충분히 가치 있는 사람이다."

나의 문구: _____

실천 체크: ☐   소감: _____

Day 2: "나는 매일 조금씩 성장하고 있다."

나의 문구: _____

실천 체크: ☐   소감: _____

Day 3: "실패는 성공으로 가는 과정일 뿐이다."

나의 문구: _____

실천 체크: ☐   소감: _____

Day 4: "나는 내 감정을 잘 다룰 수 있다."

나의 문구: _____

실천 체크: ☐   소감: _____

Day 5: "오늘 하루도 감사한 일들로 가득하다."

나의 문구: _____

실천 체크: ☐   소감: _____

Day 6: "나는 어려움을 극복할 힘이 있다."

나의 문구: _____

실천 체크: ☐   소감: _____

Day 7: "나는 사랑받을 자격이 있는 사람이다."

나의 문구: _____

실천 체크: ☐   소감: _____

Day 8: "나의 노력은 반드시 결실을 맺을 것이다."

나의 문구: _____

실천 체크: ☐   소감: _____

Day 9: "나는 내 삶의 주인공이다."

나의 문구: _____

실천 체크: ☐   소감: _____

Day 10: "나는 끊임없이 발전하고 있다."

나의 문구: _____

실천 체크: ☐   소감: _____

Day 11: "나는 내 직관을 신뢰한다."

나의 문구: _____

실천 체크: ☐   소감: _____

Day 12: "나는 긍정적인 에너지로 가득 차 있다."

나의 문구: _____

실천 체크: ☐   소감: _____

Day 13: "나는 내 목표를 이룰 수 있다."

나의 문구: _____

실천 체크: ☐   소감: _____

Day 14: "나는 매 순간 최선의 선택을 하고 있다."

나의 문구: _____

실천 체크: ☐   소감: _____

Day 15: "나는 변화를 받아들이고 적응할 수 있다."

나의 문구: _____

실천 체크: ☐   소감: _____

Day 16: "나는 내 삶에 감사하다."

나의 문구: _____

실천 체크: ☐   소감: _____

Day 17: "나는 나 자신을 사랑하고 존중한다."

나의 문구: _____

실천 체크: ☐   소감: _____

Day 18: "나는 내 주변에 긍정적인 영향을 준다."

나의 문구: _____

실천 체크: ☐   소감: _____

Day 19: "나는 매일 새로운 기회를 맞이한다."

나의 문구: _____

실천 체크: ☐   소감: _____

Day 20: "나는 내 감정을 인정하고 받아들인다."

나의 문구: _____

실천 체크: ☐   소감: _____

Day 21: "나는 끊임없이 배우고 성장한다."

나의 문구: _____

실천 체크: ☐   소감: _____

Day 22: "나는 내 잠재력을 믿는다."

나의 문구: _____

실천 체크: ☐   소감: _____

Day 23: "나는 행복할 자격이 있다."

나의 문구: _____

실천 체크: ☐   소감: _____

Day 24: "나는 내 삶의 모든 면에서 균형을 이루고 있다."

나의 문구: _____

실천 체크: ☐   소감: _____

Day 25: "나는 매 순간 최선을 다하고 있다."

나의 문구: _____

실천 체크: ☐   소감: _____

Day 26: "나는 내 몸과 마음을 잘 돌보고 있다."

나의 문구: _____

실천 체크: ☐   소감: _____

Day 27: "나는 어떤 상황에서도 평온함을 유지할 수 있다."

나의 문구: _____

실천 체크: ☐   소감: _____

Day 28: "나는 내 삶에 필요한 모든 것을 가지고 있다."

나의 문구: _____

실천 체크: ☐   소감: _____

Day 29: "나는 매일 더 나은 버전의 나로 성장하고 있다."

나의 문구: _____

실천 체크: ☐   소감: _____

Day 30: "나는 내 삶의 주인공이며, 매일을 소중히 여긴다."

나의 문구: _____

실천 체크: ☐   소감: _____

30일 챌린지 완료 후 리뷰:

1. 가장 도움이 되었던 긍정적 자기 대화 문구 TOP 3:

1) _____

2) _____

3) _____

2. 30일 동안 느낀 변화:

_____

_____

3. 앞으로도 계속 사용하고 싶은 나만의 긍정적 자기 대화 문구:

_____

_____

4. 이 챌린지를 통해 배운 점:

_____

_____

Remember:

- 처음에는 어색할 수 있지만, 꾸준히 하다 보면 자연스러워집니다.

- 진심을 담아 말하세요. 단순한 반복이 아닌 의미 있는 실천이 중요합니다.

- 부정적인 생각이 들 때마다 이 긍정적인 문구들을 떠올려보세요.

- 자기 대화의 힘을 믿으세요. 우리의 생각이 현실을 만듭니다.

- 완벽할 필요는 없습니다. 작은 변화와 노력을 인정하고 칭찬하세요.

- 이 챌린지 이후에도 긍정적 자기 대화를 일상화하세요.

당신의 긍정적인 변화를 응원합니다!

오늘을 살아요 눈이 부시게

[특별 보너스 부록] 마인드맵으로 찾는 "내가 좋아하는 것이 무엇일까?"

이 특별 보너스 부록은 마인드맵을 활용하여 여러분이 진정으로 좋아하는 것을 발견하는 데 도움을 줄 것입니다.

준비물:

- 큰 종이 (A3 크기 추천) 또는 디지털 마인드맵 툴 (예: XMind, MindMeister)

- 다양한 색상의 펜 또는 색연필

단계별 가이드:

1. 중심 노드 만들기

   - 종이 중앙에 "내가 좋아하는 것이 무엇일까?" 라고 적고 동그라미로 둘러싸세요.

2. 주요 카테고리 설정하기

- 중심 노드에서 다음과 같은 주요 카테고리를 뻗어나가세요:

  - 취미 활동

  - 배우고 싶은 것

  - 좋아하는 장소

  - 즐거운 기억

  - 관심 분야

  - 존경하는 인물

  - 꿈과 목표

3. 세부 사항 채우기

 - 각 카테고리에서 더 구체적인 내용을 적어나가세요.

 - 예를 들어, "취미 활동"에서 "요리", "독서", "등산" 등을 적을 수 있습니다.

4. 연결고리 만들기

 - 서로 관련 있는 항목들을 선으로 연결하세요.

 - 이를 통해 여러분의 관심사들 사이의 패턴을 발견할 수 있습니다.

5. 시각화하기

  - 각 항목에 어울리는 간단한 그림이나 아이콘을 추가하세요.

  - 중요도나 선호도에 따라 글자 크기나 색상을 다르게 해보세요.

6. 지속적으로 업데이트하기

  - 새로운 관심사나 아이디어가 생길 때마다 추가하세요.

  - 주기적으로 (예: 월 1회) 전체 마인드맵을 검토하고 수정하세요.

7. 패턴 분석하기

- 완성된 마인드맵을 보며 다음을 생각해보세요:

  - 가장 많은 가지를 뻗은 카테고리는 무엇인가요?

  - 여러 카테고리에 걸쳐 반복되는 주제가 있나요?

- 어떤 항목을 적을 때 가장 흥분되고 즐거웠나요?

8. 행동 계획 세우기

  - 발견한 '좋아하는 것' 중 하나를 선택하여 다음 달에 실천할 구체적인 계획을 세워보세요.

마인드맵 작성 후 성찰:

1. 이 과정을 통해 새롭게 발견한 내가 좋아하는 것:

_____

2. 가장 흥미롭게 느껴진 '좋아하는 것'과 그 이유:

_____

3. 앞으로 더 탐구하고 싶은 '좋아하는 것':

_____

4. 이 마인드맵을 바탕으로 한 달 안에 시도해보고 싶은 새로운 활동:

_____

Remember:

- 정답은 없습니다. 솔직하게 여러분의 마음을 표현하세요.

- 처음에는 어색할 수 있지만, 계속하다 보면 점점 자연스러워집니다.

- 마인드맵은 여러분의 생각을 정리하는 도구일 뿐, 결과물의 아름다움을 걱정하지 마세요.

- 이 과정 자체를 즐기세요. 자신이 좋아하는 것을 알아가는 여정입니다.

- 시간이 지나면서 변화하는 '좋아하는 것'을 반영하여 주기적으로 업데이트하세요.

이 마인드맵 활동을 통해 여러분이 진정으로 좋아하는 것을 발견하고, 그것을 즐기며 더 풍요로운 삶을 살아가시기를 바랍니다!

오늘을 살아요 눈이 부시게

에필로그: 당신의 눈부신 내일을 위해

햇살 한 줄기가 창문을 통해 들어와 당신의 얼굴을 비추고 있나요? 아니면 창밖으로 보이는 하늘에 별들이 깜빡이고 있나요? 지금 이 순간, 당신의 마음은 어떤가요?

🦋 작은 변화가 만드는 큰 기적

우리는 함께 일상의 작은 순간들을 들여다보았습니다. 아침에 눈을 뜨는 순간부터 밤에 눈을 감는 순간까지, 우리의 하루하루를 어떻게 더 의미 있고 풍요롭게 만들 수 있는지 이야기 나누었죠.

어쩌면 이 모든 것들이 사소하게 느껴질 수도 있습니다. 하지만 기억하세요, 대양을 이루는 것은 작은 물방울들이고, 우리의 인생을 만드는 것은 이런 작은 순간들의 연속입니다.

매일 아침 5분 일찍 일어나 깊은 호흡을 하는 것, 하루에 한 번 사랑하는 사람에게 감사의 말을 전하는 것, 잠들기 전 오늘 하루의 축복을 세어보는 것. 이런 작은 습관들이 모여 우리의 삶을 변화시킵니다.

나비의 작은 날갯짓이 지구 반대편에 토네이도를 일으킬 수 있다는 나비효과를 들어보셨나요? 여러분의 작은 변화도 그와 같습니다. 오늘 당신이 뿌린 작은 미소의 씨앗이 내일 누군가의 인생을 바꾸는 커다란 나무로 자랄 수 있습니다.

그러니 주저하지 마세요. 지금 이 순간 작은 변화를 시작하세요. 당신이 꿈꾸는 삶을 향한 첫 걸음을 내딛으세요. 그 용기 있는 한 걸음이 당신의 인생을 기적으로 채워줄 것입니다.

🖤 눈부신 삶을 위한 마지막 메시지

사랑하는 독자 여러분,

우리의 삶은 너무나 짧고 소중합니다. 그래서 때로는 두렵고, 때로는 벅차오르기도 합니다. 하지만 그 모든 순간이 우리를 더 강하게, 더 아름답게 만듭니다.

여러분, 부디 기억하세요. 당신은 충분히 아름답고, 충분히 강하고, 충분히 사랑받을 자격이 있는 존재입니다. 때로는 세상이 당신을 미워하는 것 같이 느껴질 때도 있겠지요. 하지만 그때마다 이 말을 기억하세요.

"나는 사랑받기 위해 태어난 사람"

그래요, 당신은 사랑받기 위해 이 세상에 왔습니다.
그리고 동시에 사랑을 나누기 위해 이 세상에 왔습
니다.

오늘 하루, 거울을 볼 때마다 자신에게 미소 지어주
세요. 길을 걸을 때마다 하늘을 올려다보며 깊은 숨
을 들이쉬어 보세요. 사랑하는 사람을 만날 때마다
진심을 담아 안아주세요.

그리고 매일 밤, 잠들기 전 스스로에게 물어보세요.

"오늘 하루 나는 행복했는가?"

"나는 오늘 누군가에게 행복을 전해주었는가?"

이 질문들에 대한 답이 "예"라면, 축하합니다. 당신은 오늘 하루를 눈부시게 살았습니다.

만약 답이 "아니오"라면, 괜찮습니다. 내일이라는 새로운 선물이 우리를 기다리고 있으니까요.

여러분, 삶은 우리에게 주어진 가장 아름다운 선물입니다. 이 선물을 온전히 누리며 살아가세요. 더 많이 웃고, 더 자주 사랑하고, 더 깊이 감사하며 살아가세요.

마지막으로, 제가 가장 사랑하는 문구를 여러분과 나누고 싶습니다.

"춤추라, 아무도 바라보고 있지 않은 것처럼.

사랑하라, 한 번도 상처받지 않은 것처럼.

노래하라, 아무도 듣고 있지 않은 것처럼.

일하라, 돈이 필요하지 않은 것처럼.

살라, 오늘이 마지막 날인 것처럼."

-알프레드 디 수자

이 말처럼 살아보세요. 누군가의 시선이나 판단에 얽매이지 말고, 온전히 당신 자신으로 살아가세요. 상처받을까 두려워 사랑을 주저하지 마세요. 당신의 목소리를 내는 것을 두려워하지 마세요. 열정을 다해 일하세요. 그리고 매 순간을 마지막인 것처럼 소중히 여기며 살아가세요.

부디 여러분의 앞날에 눈부신 행복과 따스한 사랑이 가득하기를 진심으로 기원합니다. 그리고 언젠가 길을 걷다 우연히 마주치게 된다면, 서로를 알아보고 환하게 웃으며 인사를 나눌 수 있기를 바랍니다.

이제 책을 덮고 밖으로 나가보세요. 당신을 기다리고 있는 눈부신 세상을 만나러 가세요.

당신의 오늘이, 그리고 모든 내일이 눈부시게 빛나기를...

끝까지 함께해 주셔서 감사합니다. 이제 당신의 이야기를 써내려갈 차례입니다. 오늘을 살아요, 눈이 부시게!

2024년 시월의 마지막 밤에 홍은주 드림.

오늘을 살아요 눈이 부시게